LES PLUS BELLES LÉGENDES IRLANDAISES

EITHNE MASSEY
ILLUSTRATIONS DE LISA JACKSON

W0006612

THE O'BRIEN PRESS
DUBLIN

Eithne Massey est écrivain et bibliothécaire. Elle s'est toujours intéressée à la mythologie. Elle est l'auteur de l'ouvrage *L'Irlande légendaire*, de livres pour enfants *The Dreaming Tree*, *The Secret of Kells*, *The Silver Stag of Bunratty*, *Where the Stones Sing* et *Blood Brother, Swan Sister*. Elle partage sa vie entre l'Irlande et la Bretagne.

Lisa Jackson est diplômée d'une prestigieuse école de dessin animé à Dublin. En tant qu'illustratrice et graphiste, elle travaille sur des dessins animés, bandes dessinées et livres pour enfants.

CONTENU

LE SAUMON DE LA CONNAISSANCE

PRONONCIATION :
Fionn: *fioun*; Finnegas: *finaigous*

Il était une fois, il y a très longtemps, un garçon
nommé Fionn qui voulait tout savoir. Sa mère fût
fatiguée de ses questions incessantes et l'envoya vivre
avec deux femmes connues pour leur sagesse. Elles
lui apprirent beaucoup de choses. Et puis, un jour,
elles furent fatiguées de répondre à ses questions
aussi. Elles l'envoyèrent vivre avec l'homme le plus
sage d'Irlande qui s'appelait Finnegas. Mais même
lui ne savait pas tout. Et même lui devint las des
questions de Fionn.

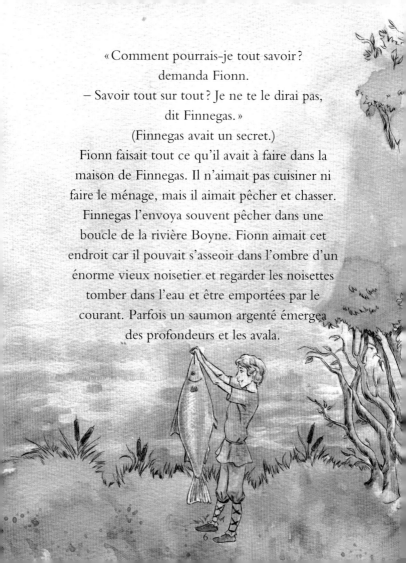

«Comment pourrais-je tout savoir?
demanda Fionn.

– Savoir tout sur tout? Je ne te le dirai pas,
dit Finnegas.»

(Finnegas avait un secret.)

Fionn faisait tout ce qu'il avait à faire dans la
maison de Finnegas. Il n'aimait pas cuisiner ni
faire le ménage, mais il aimait pêcher et chasser.
Finnegas l'envoya souvent pêcher dans une
boucle de la rivière Boyne. Fionn aimait cet
endroit car il pouvait s'asseoir dans l'ombre d'un
énorme vieux noisetier et regarder les noisettes
tomber dans l'eau et être emportées par le
courant. Parfois un saumon argenté émergea
des profondeurs et les avala.

Et puis, un jour, Fionn attrapa le saumon. Quand Finnegas vit le poisson, il s'excita et dit à Fionn : « Cuis le poisson tout de suite mais n'en mange pas un seul petit morceau. Ce poisson est pour moi seul. »

Fionn pensa que c'était un peu injuste. Le saumon était énorme et c'était lui qui l'avait attrapé. Mais Finnegas était son maître, alors il ferait comme le maître lui dit.

Il alluma le feu et cuisina le saumon. Même si l'odeur fut délicieuse, il n'en goûta point. Mais en enlevant le poisson du feu, il brûla son pouce sur sa peau chaude et craquante. Il mit le pouce dans sa bouche et le suça pour arrêter la douleur. Puis il porta le saumon à Finnegas.

« Tu n'en a pas goûté du tout, as-tu ? demanda Finnegas avec suspicion, sa voix aiguë d'inquiétude.

– Je n'en ai pas goûté, non, répondit Fionn.

– Tu n'as même pas goûté sa peau, as-tu ? dit Finnegas. »

Fionn allait dire non, puis il se rappela : « J'ai juste mis mon doigt dans la bouche quand je me suis brûlé sur sa peau mais je n'en ai pas mangé. »

Finnegas était furieux. «Maintenant c'est toi qui l'as !

Tu as la Connaissance ! hurla-t-il.

– Quoi ? dit Fionn. Que dites-vous ?

– Ce poisson est le Saumon de la connaissance, dit Finnegas.

Il a mangé des noisettes du vieux noisetier qui garde toute la

connaissance du monde. Et la première personne à goûter ce

saumon acquiert toute la sagesse qui existe !»

Fionn était sidéré.

«Mais vous pouvez manger tout le reste, dit-il, confus.

– Inutile ! dit Finnegas. Maintenant, c'est un simple poisson.

Toute sa connaissance est en toi.»

«Je ne crois pas, dit Fionn.
Je ne me sens pas très différent.
– Quel doigt as-tu brûlé? demanda Finnegas.
– Mon pouce, dit Fionn en le montrant.
– Mets-le dans ta bouche. »
Fionn regarda son pouce, puis le mit lentement
dans sa bouche. A l'instant même, il sentit toute la
connaissance du monde remplir sa tête.
Il lui suffisait de penser à une question
et la réponse venait tout de suite.

Pauvre Finnegas ! Ils mangèrent le reste du poisson
ensemble de toute façon. Mais Finnegas ne mangea que
très peu. Il savait que jamais il n'aurait la sagesse qu'il avait
attendue toute sa vie.

Le petit garçon l'eut à sa place.

Quand Fionn grandit, il devint un grand guerrier et
chasseur and le sage chef des Fianna, la plus grande tribu
des guerriers que l'Irlande eut jamais connue. Et à chaque
fois qu'il avait besoin de savoir quelque chose – n'importe
quoi – tout ce qu'il avait à faire était mettre son pouce dans
sa bouche et le mordre très fort. Il n'eut plus besoin de
poser des questions, plus jamais.

COMMENT CÚ CHULAINN REÇUT SON NOM

▨ ▨ ▨

PRONONCIATION :
Cú Chulainn: *kou houloun*; Cú: *kou* ; Culann: *kouloun*; Sliotar: *slitter*

Hurling est un sport traditionnel irlandais ressemblant au hockey sur gazon.

12

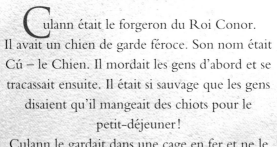

Culann était le forgeron du Roi Conor.
Il avait un chien de garde féroce. Son nom était
Cú – le Chien. Il mordait les gens d'abord et se
tracassait ensuite. Il était si sauvage que les gens
disaient qu'il mangeait des chiots pour le
petit-déjeuner !
Culann le gardait dans une cage en fer et ne le
laissait gambader autour de la maison que quand
tout le monde était en sécurité à l'intérieur.
La maison de Culann n'était jamais attaquée ou
cambriolée car tout le monde savait qu'elle était
bien gardée par Cú.

Un jour, le Roi Conor vint dîner chez Culann et quand tout le monde était à l'intérieur, Culann lâcha le chien pour protéger la maison des ennemis du roi. Mais Conor avait oublié quelque chose.
Son neveu, Setanta, était en train de jouer au hurling quand le roi quitta son château pour se rendre chez Culann. Conor demanda au garçon de se joindre à leur fête après le jeu.

Une heure plus tard, Setanta s'approchait de la maison de Culann en sifflotant. Il n'avait que sept ans mais il était déjà le meilleur joueur de hurling en Irlande. Il s'entraînait à taper la balle nommée *sliotar* en marchant.

Mais attends ! Un monstre longeait le mur de la maison. Il leva la tête en bavant. Il sentit l'odeur de la chair fraîche dans l'air. Setanta arriva à la porte et vit une ombre noire. Il entendit un râle menaçant. Quelque chose d'énorme et poilu volait vers lui ! Il juste eut le temps d'apercevoir de longues canines jaunes et des mâchoires géantes.

Sans hésiter, Setanta envoya la balle. Ce fut un
coup merveilleux de précision. La balle vola à
la vitesse d'un éclair tout droit dans la gueule
du monstre. Le chien sursauta dans l'agonie et
s'effondra par terre, mort.

Setanta s'approcha de lui avec précaution. «Ils ont une drôle de façon d'accueillir des inconnus ici,» dit-il.

«Qui es-tu?» demanda une voix grave. Culann apparut sur le seuil avec le Roi Conor et toute sa cour, et regarda le chien mort. Ils avaient entendu le bruit et s'étaient précipités dehors.

Le Roi Conor était blême de peur. Il se rappela enfin que Setanta devait se joindre à leur fête.

«J'ai failli être tué par ce chien, dit Setanta. Je suis Setanta, le neveu du Roi Conor. Je suis venu à sa cour pour devenir le Chevalier de la Branche rouge.»

Les Chevaliers de la Branche rouge étaient les guerriers du roi.

«Et tu seras un grand chevalier,» dit le roi avec fierté.

Il souriait maintenant.

«Personne d'autre n'aurait pu tuer Cú.»

« C'est très bien, dit Culann. Mais j'ai perdu le meilleur chien de garde d'Irlande. Que vais-je faire sans lui ? » Setanta réfléchit une minute. « Puisque j'ai tué Cú, je garderai ta maison, commença-t-il. Je la protégerai jusqu'à ce qu'un chiot soit élevé pour remplacer le chien que tu as perdu. »

Culann accepta. Sa maison ne fut jamais attaquée ou cambriolée pendant que Setanta la garda. Et même quand il devint le guerrier le plus célèbre d'Irlande, on ne l'appela pas Setanta mais « le chien de Culann » ou Cú Chulainn.

LES ENFANTS DE LIR

Fionnuala était une princesse. Elle avait trois frères, Aodh,
Fiachra et Conn. Fiachra et Conn était des jumeaux.
Ils étaient remuants comme des chiots. Ils ne se tenaient
tranquilles que quand leur mère les mettait au lit et leur
chantait une berceuse pour dormir. Mais la reine mourut
et tout le monde était très triste pendant très longtemps.
Et puis le roi Lir se remaria. Aoife, sa nouvelle femme,
était fort belle. Mais personne ne savait qu'elle était une
sorcière. Elle était jalouse de l'amour du roi Lir pour ses
enfants et se mit à les haïr. Elle détestait surtout quand
Fionnuala chantait à ses frères les chansons de leur mère,
car elle-même chantait comme une guimbarde.
Un jour, elle dit à Fionnuala : « Appelle tes frères, on
va rendre visite à votre grand-père. »

21

Ils sont tous montés dans la calèche d'Aoife. Ils
n'allèrent guère loin et s'arrêtèrent près d'un lac.
C'était une belle journée.
« Vous pouvez tous aller vous baigner,
mes petits canards, » dit Aoife. Fionnuala était inquiète.
Pourquoi Aoife était-elle soudain si gentille ?
Elle n'était jamais gentille. « Attendez ! cria-t-elle à ses
frères. N'allez pas dans l'eau ! »

Mais c'était trop tard. Aodh nageait déjà vers le milieu du lac. Conn et Fiachra étaient en train de s'éclabousser. Fionnuala courut au bord de l'eau et appela ses frères de nouveau.

D'un geste de sa baguette magique, Aoife ensorcela les enfants.
Fionnuala se sentit soudain bizarre. Elle vit des plumes pousser
sur ses bras and ses jambes. Ses pieds devinrent palmés comme
ceux d'un canard. Elle regarda ses frères et vit les mêmes
transformations se produire. Les quatre enfants disparurent.
Quatre cygnes étaient dans l'eau à leur place.
Aoife, sur la berge, rit : « Vous pouvez
chanter tout votre soûl maintenant ! »

Puis elle récita une formule magique :

« Vous serez cygnes pour neuf cent ans.
Les premiers trois cent ans, vous les passerez ici.
Les trois cent ans suivants, vous les passerez sur la Mer du Nord.
Et les derniers trois cent ans, vous les passerez sur l'Océan de l'Ouest.
Seulement le son d'une cloche pourra vous sauver
Et vous faire redevenir humains. »

Conn et Fiachra se mirent à pleurer. Fionnuala voulait pleurer aussi mais elle dit à ses frères : «Nous allons voler voir notre père et lui dire ce qui est arrivé.»

Ils racontèrent au roi Lir le méfait d'Aoife et le roi était furieux. Il avait aussi des dons de magie. Il transforma Aoife en horrible corbeau noir.

Elle s'envola du palais en croassant.

Mais Lir ne put libérer ses enfants de la malédiction.

Alors, chaque jour, il alla au bord du lac, s'assit et les écouta chanter. Et quand il mourut, ils vinrent au même endroit pour chanter et se souvenir de leur père.

Et à la fin des premières trois cent années, les quatre cygnes durent partir.

Ils volèrent vers la Mer du Nord, où la mer était déchaînée et
les vagues si grosses qu'elles submergeaient les quatre enfants
cygnes quand ils tentaient de se reposer. Le vent était glacial.
Parfois, leurs pattes gelées collaient aux rochers. Ils se serraient
les uns contre les autres et Fionnuala enveloppait ses frères de
ses ailes pour les réchauffer. Et puis, enfin, les trois cent ans
passèrent. Les cygnes survolèrent l'Irlande sur le chemin de
l'Océan de l'Ouest. Dans l'océan, il y avaient de petites îles où
les enfants cygnes pouvaient se reposer sur une herbe verte et
douce au lieu de durs rochers. Inish Glora était leur île favorite.
Ils regardaient le soleil se coucher sur la mer et chantaient
ensemble. Les gens sur les bateaux de passage croyaient
entendre le chant des sirènes.

Un jour, quand ils pêchaient en mer, Fiachra, Conn
et Aodh se précipitèrent vers Fionnuala. Conn dit :
« Quelque chose d'étrange se passe sur Inish Glora. »
Les quatre cygnes volèrent vers l'île. Là, ils virent un
moine qui était en train de construire une petite cabane
en pierre. Il chantait en travaillant. Lorsqu'il finit, il
attacha quelque chose de brillant sur le toit de la cabane.
C'était une cloche. Le vent souffla et la cloche se mit à
sonner. Jamais les enfants n'entendirent de si jolis sons.
Le moine regarda les quatre cygnes faisant la ronde
au-dessus de sa tête.
« Venez mes amis, dit-il. Je vous ai entendu chanter.
Venez chanter avec moi. »

Mais dès que les quatre enfants atterrirent sur l'île, une chose étrange se passa. Leurs plumes tombèrent à leurs pieds.

Fionnuala regarda ses frères et vit trois vieillards.

Elle aussi devint une très vieille femme. Le moine les regarda avec tristesse. Il sut que l'ancienne légende était vraie et qu'ils étaient les enfants de Lir. Il sut aussi qu'ils allaient mourir.

Mais Fionnuala sourit et dit : « Ne soyez pas triste. Nous sommes très fatigués. Nous avons vécu de très longues vies – trop longues. Nous serions heureux de dormir sur votre île. » Le moine bénit les quatre enfants. Ils s'allongèrent sur l'herbe verte et douce près de la cabane et tous les oiseaux de l'île vinrent les bercer avec leurs chants.

Le Roi aux Oreilles d'Âne

PRONONCIATION :
Donal: *dohnoul*; Labhraí: *loouri*;
Loingseach: *linchok*

30

Il était une fois un jeune garçon du nom de Donal qui
voulait être barbier. Sa mère n'était pas d'accord. Donal
était son fils unique et elle voulait qu'il fût un grand héro.
Mais Donal ne voulait pas être un héro. Il voulait couper les
cheveux des gens pour qu'ils fussent plus beaux.
Le roi du pays, Labhraí Loingseach, avait un secret. C'était
un énorme secret. Il avait des oreilles d'âne. Il les cachait sous
sa couronne pour que personne ne puisse les voir. Lorsqu'il
se faisait couper les cheveux, il faisait exécuter le malheureux
barbier tout de suite après, pour protéger son secret.

Un jour, Donal fut appelé au palais pour couper les cheveux du roi. Sa mère fit une scène épouvantable et refusa de le laisser y aller. À la place, elle alla elle-même aux portes du palais et se mit à crier, pleurer, hurler et vociférer. Toute la cour dut se boucher les oreilles pour ne pas entendre ce terrible vacarme.

Le roi ne put se boucher les oreilles, à cause de son secret.

Il dit : « Pourquoi cette femme hurle-t-elle ? »

Le Premier Ministre retira les doigts de ses oreilles et dit : « Quoi ? »

Le roi répéta la question.

« C'est son fils, le barbier, répondit le Premier Ministre. Elle ne veut pas qu'il soit exécuté. Elle dit qu'elle n'arrêtera pas jusqu'à ce qu'il soit épargné. Et s'il est exécuté, elle continuera à hurler pour toujours. »

C'était une menace terrible. Labhraí était déjà si fatigué de l'entendre qu'il dit : « Très bien ! Je vais laisser son fils en vie. Mais il doit jurer qu'il ne racontera jamais à personne ce qu'il verra quand il coupera mes cheveux. Pas un mot à qui que ce soit avec des oreilles et une bouche. »

Et Donal promit. Il coupa les cheveux du roi et vit son secret.

Et après cela, Donal ne pouvait s'empêcher de penser aux oreilles du roi. À chaque fois qu'il vit un âne, il frissonna. Chaque nuit, il rêva de ces oreilles.

Cela le rendit pâle et malade.

Sa mère dit : « Qu'est-ce qui ne va pas mon fils ?

– C'est le secret du roi, dit Donal. Je suis la seule personne au monde de le connaître. Ne pouvoir le dire à personne me rend fou.

– Tu pourrais me dire à moi, suggéra sa mère. »

Donal savait que s'il disait le secret à sa mère, tout le royaume serait au courant dans l'heure qui suivait. Il hocha sa tête.

«J'ai juré de ne le dire à personne qui ait des oreilles et une bouche.»

Sa mère haussa ses épaules. «Si c'est le cas, dis-le à quelque chose sans oreilles ni bouche. Dis-le à une plante ou à un arbre.»

Alors Donal alla tout droit sur la berge de la rivière et murmura le secret au grand saule. Il se sentit beaucoup mieux tout de suite.

Mais ce n'est pas la fin de l'histoire. Le saule était un arbre magnifique. Un jour, un harpiste passa devant et vit que le bois du saule était bon pour faire une harpe. Il coupa une branche et se fabriqua une nouvelle harpe. Puis il alla son chemin.

Et comme par hasard, il allait jouer à la cour du roi Labhraí Loingseach. Dès qu'il toucha les cordes de la harpe, elle se mit à chanter toute seule :

« Labhraí Loingseach a des oreilles d'âne,
Labhraí Loingseach a des oreilles d'âne,
Labhraí Loingseach a des oreilles d'âne… »

Le chant durait et durait, et toute la cour regardait le roi avec stupéfaction. Labhraí était furieux. Il sauta de son trône. Sa couronne tomba, et ses oreilles, longues, pointues et couvertes d'un fin duvet, furent exposées à la vue de tous. Labhraí Loingseach découvrit deux choses. La première, qu'il était impossible de garder un secret en Irlande. La deuxième, qu'avoir des oreilles d'âne n'était pas si grave. La vie devint plus facile maintenant que tout le monde sut son secret. Il n'avait plus à craindre tout le temps d'être découvert. Quant à Donal, il sauva tous les barbiers du royaume d'une mort certaine. Il devint un héro. Sa mère fut ravie. Et il fut aussi nominé le Coiffeur du Roi et put faire à Labhraí une bien plus jolie coupe. Le roi en fut tout aussi ravi !

FIONN ET LE GÉANT

PRONONCIATION
Fionn: *fioun*

Boum, boum, boum! La porte de la maison de Fionn grinça, trembla, puis s'effondra.

Un géant gros et chevelu se tint debout dans l'embrasure. Il avait des moustaches rousses et un nez rouge. Il portait un pantalon rouge à carreaux.

La femme de Fionn était à la maison. Elle était fâchée car elle aimait bien la porte de sa maison, et maintenant elle était cassée… Mais le géant était cinq fois plus grand qu'elle, alors elle dit :

« Voulez-vous entrer ? »

Le géant hurla : « Je suis ici pour me battre avec Fionn ! J'ai fait un chemin de pierre à travers la mer d'Écosse jusqu'ici pour venir me battre avec lui ! »

«Vraiment? dit la femme de Fionn. Désolée mais il
est parti chasser. Voudriez-vous une tasse
de thé en attendant?»
Le géant fut si surpris qu'il en oublia de hurler.
Il s'était battu avec beaucoup de gens.
Personne ne lui avait jamais offert une tasse de thé.
Il dit: «Oui. Avez-vous du gâteau aussi?»
– Peut-être, dit la femme de Fionn.
Asseyez-vous là, près du feu.»

Le géant s'assit sur le chat qui miaula.

Il ne s'excusa point.

La femme de Fionn fit le thé. Elle sortit son
meilleur gâteau et le donna au géant.

Le géant ne dit pas merci. Il enfourna le
gâteau entier dans sa bouche. Il mit des miettes
partout. Lorsqu'il eut fini le thé et
le gâteau, il rota.

« Charmant, dit la femme de Fionn. Puis elle l'avertit :
Surtout faites attention de ne pas réveiller le bébé. »

La femme de Fionn lui montra un berceau.

Quelqu'un dormait dedans.

« C'est le bébé ? demanda le géant.

– Oui, dit la femme de Fionn.

– Il doit mesurer deux mètres ! dit le géant.

– Deux et demi, en fait, dit fièrement la femme de Fionn.

– Il a des poils partout sur son visage, dit le géant.

– Oui. Je dois le raser tous les jours, dit la femme de Fionn.

– Il serait capable de tuer un sanglier, on dirait, dit le géant.

– Déjà deux, ce mois-ci, dit la femme de Fionn en souriant, À mains nues.

– Quel âge a-t-il? demanda le géant.

– Il a un mois, dit la femme de Fionn en regardant le bébé avec attendrissement. »

Le bébé ouvrit les yeux et sourit.

«Bon Dieu de bon Dieu! dit le géant. Il a des dents plein la bouche! – N'est-ce pas? dit la femme de Fionn.» Le géant commença à s'inquiéter. Si le bébé de Fionn était si grand, pensa-t-il, Fionn doit être ÉNORME. Il commença à se demander si se battre avec Fionn était une bonne idée.

Le bébé commença à pleurer.

Ses pleurs, de plus en plus forts, firent trembler les murs
de la maison. La porte aurait pu en trembler aussi sauf
qu'il n'y avait plus de porte. Le géant l'avait cassée.

Le géant se boucha les oreilles.

La femme de Fionn alla vers le poêle.

Elle sortit un os énorme de la casserole.

«Voulez-vous donner ça au bébé?» demanda-t-elle.

Le géant essaya de mettre l'os dans la bouche du bébé.

Le bébé mordit son doigt si fort que le géant hurla.

«Il est mignon, n'est-ce pas?» dit la femme de Fionn.

«Je viens juste de me rappeler quelque chose, dit le géant.

Je dois rentrer à la maison pour le dîner.

C'est la panse de mouton farcie ce soir !»

Il courut vers la porte et puis courut sans s'arrêter jusqu'à
l'Écosse. Pour empêcher Fionn de le suivre, il arracha des
pierres sur son chemin. Ce qui reste s'appelle aujourd'hui
La chaussée du géant.

Quand il arriva à la maison, il claqua la porte si fort qu'elle
s'effondra. Sa femme se fâcha contre lui.

La femme de Fionn n'était plus fâchée, elle.

«Tu peux sortir du lit, dit-elle. Il est parti.

Notre ruse a marché.»

Le gros bébé poilu sourit dans son lit. C'était Fionn.

Le Lévrier Blanc

PRONONCIATION :
Fionn: *fioun*; Tuiren: *tourenne*; Bran: *branne*;
Sceolan: *skioloun*

Fionn avait une sœur nommée Tuiren.

Elle était si gentille que tout le monde l'aimait.

Tout le monde, sauf une sorcière du nom d'Ukdelv
qui était jalouse de la bonté et de la beauté de Tuiren,
et de ses longs cheveux blonds. Alors, un jour, Ukdelv
se rendit au palais de Tuiren et, d'un geste de baguette
magique, transforma la princesse en lévrier irlandais.
Mais comme Tuiren était blonde et belle, le chien
fut beau aussi, avec son pelage blanc comme neige.
Ukdelv prit Tuiren par la peau de son cou et la
traîna vers la maison d'un homme très
grincheux nommé Fergus.

Fergus n'aimait vraiment pas les chiens. Quand il
vit Ukdelv avec le grand lévrier blanc s'approcher
de sa maison, il courut à l'intérieur
et ferma la porte.
« Ce chien ne rentre pas ici, dit-il à Ukdelv.
Il est sale, il pue et il laissera ses poils partout. »
Tuiren le regarda tristement et essaya de
lui lécher les mains. Il la repoussa.
« Va-t-en, monstre poilu ! » dit-il.

«Mais Fionn veut que tu prennes ce chien,»
dit Ukdelv. Elle était sûre que Tuiren serait
malheureuse chez Fergus.
Comme tout le monde faisait ce que
Fionn disait, Fergus soupira et laissa le chien entrer
dans sa maison. Ukdelv sourit en regardant
Tuiren suivre Fergus, la queue entre les jambes
et les oreilles baissées.

Mais si la sorcière put changer l'apparence de
Tuiren, elle ne put changer sa nature. A chaque
fois que Tuiren voyait Fergus, elle essayait de
le lécher ou de jouer avec lui. Elle était triste
quand il était absent. Elle devint le meilleur chien
de chasse du pays, et Fergus passa beaucoup de
jours heureux à chasser avec elle dans les forêts,
montagnes et marais.

Plus le temps passait, plus Fergus s'attachait
à Tuiren. « Cette chienne est presque humaine ! »
disait-il à ses amis, sans savoir qu'elle l'était !
Il l'appela Princesse, sans savoir qu'elle l'était aussi.
Il fut enchanté quand elle apporta deux chiots
qu'il nomma Bran et Sceolan. Ils jouaient souvent
par terre près du feu et il riait en les regardant.
Il pensa parfois que Princesse avait l'air
de sourire elle aussi.

La vie de Fergus était bien plus heureuse
avec Tuiren. Il n'était plus grincheux.
Mais Fionn cherchait sa sœur car il avait peur qu'il
ne lui fut arrivé un malheur. Il utilisa son pouce
magique et découvrit qu'elle était dans la maison de
Fergus. Il s'y rendit et dès qu'il vit le grand chien
blanc, il sut que c'était Tuiren. Elle courut vers
Fionn et posa ses pattes sur ses épaules,
en lui léchant la figure.

Fergus expliqua à Fionn comment il avait eu ce
chien. Ils comprirent qu'Ukdelv avait ensorcelé
Tuiren. Ils allèrent ensemble chez la sorcière
et l'obligèrent à rendre à Tuiren son apparence
humaine. Fergus était triste de perdre son chien
fidèle mais Fionn lui donna un nouveau chiot pour
compagnie. Bran et Sceolan restèrent avec Fergus
aussi et devinrent de bons chiens de chasse.

Quand à Tuiren, elle fut heureuse de retrouver sa
famille et ses amis. Mais sa vie dans la peau d'un
chien l'avait changé. Parfois, elle avait envie de sauter
de joie quand quelqu'un proposait une promenade.
À table, elle avait parfois envie de prendre un os et
d'aller le ronger tranquillement au coin du feu. Cela
lui manquait d'aller courir les lapins, se rouler dans
l'herbe, se gratter derrière l'oreille avec son pied
ou lécher les gens qu'elle aimait et mordre les gens
qu'elle n'aimait pas.

Et parfois, dans les soirées d'été, Fionn la trouvait
assise dans l'herbe dans le jardin du palais à
regarder le ciel et humer le vent, comme si elle
attendait quelqu'un l'appeler pour rentrer
à la maison.

OISÍN

PRONONCIATION :
Oisín: *ouchine*; Niamh: *niv*;
Tír na nÓg: *tir nou nogue*

56

Oisín était le fils de Fionn et l'un des guerriers les plus braves de Fianna. Il était aussi poète et il aimait s'asseoir parfois au bord de la mer ou en montagne et rêver de choses lointaines. Un jour, assis au bord du lac de Léin près de la ville de Killarney, il vit une jeune femme magnifique avec de longs cheveux d'or et des yeux d'émeraude s'approcher de lui sur un cheval blanc. Elle souriait.

«Je m'appelle Niamh, dit-elle. Je suis la princesse de Tír na nÓg, la Terre de la jeunesse éternelle, où il n'y a ni maladie, ni vieillesse, ni mort. Je suis amoureuse de toi, Oisín. Viens avec moi et tu seras le plus heureux des hommes. Monte sur mon cheval Ombre de Lune et je t'emmènerai à Tír na nÓg.»

Il vint. Ombre de Lune les amena par-dessus les collines et sous les vagues de la mer jusqu'au royaume de Niamh. Oisín était heureux à Tír na nÓg. Niamh était aussi gentille que belle, et Tír na nÓg était un pays magnifique. Là-bas, c'était toujours l'été et personne n'était jamais triste. Mais le temps passa et Oisín commença à s'ennuyer de sa famille et de ses amis. L'Irlande elle-même lui manquait, avec ses collines, ses lacs et ses rivières. Niamh vit qu'il n'était plus heureux et lui demanda ce qui n'allait pas.

«Laisse-moi retourner dans mon pays, dit Oisín.
Juste pour une visite. Pour voir tout le monde et
leur dire au revoir comme il se doit. Viens avec
moi. Je voudrais que tu rencontres ma famille.»
Niamh soupira et dit : «Je ne peux pas venir et je
ne veux pas que tu y ailles non plus. Mais je vois
que ta décision est prise. Prends Ombre de Lune.
Il t'amènera là-bas et te ramènera à moi. Il faut
juste que tu te souviennes d'une chose.
Tu ne dois pas mettre le pied par terre quand
tu es en Irlande. Tu promets ?»

Oisín promit, embrassa sa Niamh bien-aimée et partit.
Elle le regarda s'en aller, les larmes aux yeux. Ombre
de Lune emporta Oisín par-dessus les collines et sous les
vagues de la mer jusqu'au lac de Léin. Oisín était dans son
pays. Mais comme tout était différent! Les grands palais
n'étaient plus et même les gens avaient l'air différents.
Ils étaient plus petits et avaient l'air pauvres et malheureux.

Oisín vit un groupe d'hommes qui tâchaient de soulever
une grosse pierre et leur demanda où il pourrait trouver
Fionn et le reste de Fianna. Les hommes le regardèrent
sans répondre, surpris. Et puis le plus âgé d'entre eux, un
vieillard aux cheveux blancs, lui dit : « Oh, j'avais entendu
parler de Fianna. Un peuple de géants. Mais ils sont tous
morts depuis des siècles. » Oisín était stupéfait. Ce qui
sembla être trois ans à Tír na nÓg fut trois cent ans en
Irlande ! Toute sa famille et ses amis étaient partis. Il ne les
verrait plus jamais. Puis un des hommes dit : « Tu es grand
et fort comme les héros du passé. Peux-tu nous aider à
bouger cette pierre ? »

Oisín se pencha du cheval et poussa la pierre.

La pierre bougea mais Oisín tomba du cheval.

Dès qu'il toucha la terre d'Irlande, il devint un vieillard.

Ombre de Lune se cabra et partit au galop.

Oisín le regarda disparaître à l'horizon. Il sut que jamais
il ne pourrait retourner à Tír na nÓg.

Oisín était triste et il savait que Niamh serait triste aussi.

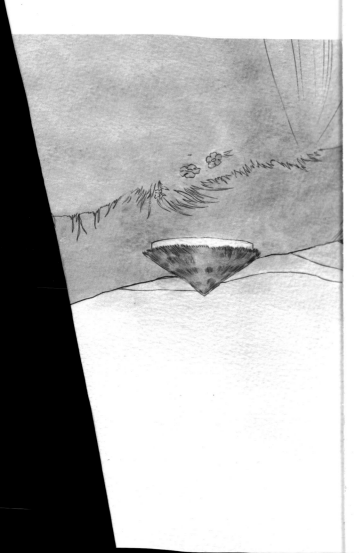

Mais ce ne fut pas un mal sans bien. Oisín devint un célèbre
conteur. Il voyagea dans toute l'Irlande en racontant ses
histoires. C'est grâce à elles que nous nous rappelons
aujourd'hui de Fionn et Fianna, des héros et héroïnes
qui vécurent en Irlande il y a très, très longtemps.

Première édition en langue française publiée en 2013
Traduit de l'anglais (Irlande) par Svetlana Pironko.

Première édition originale publiée en 2009 par
The O'Brien Press Ltd.,
12 Terenure Road East, Rathgar, Dublin 6, Ireland.
Tél: +353 1 4923333; Fax: +353 1 4922777
E-mail: books@obrien.ie
Site: www.obrien.ie
Réimprimé 2014.

ISBN 978-1-84717-357-7

10 9 8 7 6 5 4 3 2
17 16 15 14

Imprimé et relié en République tchèque par Finidr Ltd.
La pâte à papier utilisée pour la fabrication du papier de ce livre provient
de forêts renouvelables.

The O'Brien Press reçoit le soutien financier de